LES CAMPBELL

2. Le redoutable pirate Morgan

Scénario et dessin : Jose Luis Munuera

Couleurs : Sedyas

DUPUIS

À Errol Flynn, Douglas Fairbanks et Burt Lancaster

Jose Luis Munuera

Lettrage : Philippe Glogowski.
Traduction : Anne-Marie Ruiz.

Dépôt légal : octobre 2014
D.2014/0089/047
ISBN : 978-2-8001-6091-7

Imprimé en France par PPO.

www.dupuis.com

YIIIIHIE...

HOP!!

TOK!

HC 10-A

HAHA!!

VOILÀ MA BARJO DE FRANGINE... AUCUN ÊTRE HUMAIN NORMAL NE PASSE AUTANT DE TEMPS QU'ELLE À LIRE.

?!
KRKKK

PONK
?!?!

JE SAIGNE!!
J'AI MAL!!
AÏE!!

CALME-TOI, GENOVA, CALME-TOI... LAISSE-MOI JETER UN COUP D'ŒIL...
AÏE! AÏE! AÏE!

HMMM... CE N'EST RIEN. JUSTE UN PETIT SAIGNEMENT DE NEZ...

AAAAH! UN PETIT SAIGNEMENT DE NEEEEZ! JE VAIS MOURIIIIIIR!

NON... CE N'EST PAS GRAVE. REGARDE, SI ON VERSE UN PEU D'EAU FROIDE SUR LA NUQUE, LE SANG S'ARRÊTE...

TU VOIS? ÇA MARCHE! TU NE SAIGNES PLUS. C'EST MAMAN QUI M'A APPRIS ÇA... C'EST UNE ASTUCE.

ALLEZ, RENTRONS...

HC 10-2

ITACA... TU... TU TE SOUVIENS DE MAMAN, TOI?
BIEN SÛR!

TU PEUX ME PARLER UN PEU D'ELLE?
S'IL TE PLAÎT...

QUEL EST CELUI QUI, RENONÇANT À VIVRE PAISIBLEMENT, A L'AUDACE DE BRAVER LES LOIS POUR TRACER SON PROPRE DESTIN ?

SILLONNER LES MERS, AFFRONTER LES TEMPÊTES, CHANGER À TOUT INSTANT DE CLIMAT, S'EXPOSER À LA FAIM, AUX ÉPIDÉMIES, AUX REQUINS ET À LA POTENCE, EN LUTTANT JOUR APRÈS JOUR POUR SAUVER SA PEAU ?

JE VAIS VOUS LE DIRE : CELUI QUI SANS AMIS, SANS FAMILLE ET SANS AVENIR RECHERCHE LA **GLOIRE** OU L'**OR** À TOUT PRIX !

UN AVENTURIER ?
UN TRUAND ?

HC 10-3

NON ! UN PIRATE !

TOUT HOMME EST ESCLAVE : LE RICHE DE SON ARGENT, LE PAUVRE DE SA MISÈRE...

...SEUL LE PIRATE EST VÉRITABLEMENT LIBRE !

VOUS ÊTES ICI EN SIMPLES MARINS...
LAS DE L'ODEUR DU POISSON, VOUS ASPIREZ AU FUMET DE L'AVENTURE!

JE N'AI PAS D'AUTRE GLOIRE À VOUS PROMETTRE QUE DE SURVIVRE...
...NI DAVANTAGE D'OR QUE CELUI QUE NOUS POURRONS DÉROBER AUX ANGLAIS...

MAIS ENRÔLEZ-VOUS DANS NOTRE ÉQUIPAGE...
...ET JE VOUS PROMETS AVENTURE ET LIBERTÉ!

QU'EST-CE QU'IL PARLE BIEN!
QUEL GABIER!
OÙ IL FAUT SIGNER?

EXCELLENT DISCOURS!

JE NE SAIS PAS SI JE FERAI DE TOI UN BON CAPITAINE, FRANGIN, MAIS TU AS DE L'AVENIR DANS LA POLITIQUE!

HA, HA, HA! BON, TOI OCCUPE-TOI DE LEUR FAIRE SIGNER LES CONTRATS, MOI JE VAIS FAIRE UN TOUR!

HC 10-4

?!

LÂCHEZ-MOI!

HÉ! LAISSEZ LA DAME TRANQUILLE!
TIENS, TIENS... UN HÉROS!
HA, HA, HA!

DU CALME, JEUNOT... SI TU ES PATIENT, NOUS TE LAISSERONS GOÛTER À LA FILLE... QUAND NOUS, ON AURA FINI!!

AAARGH!!!

TOUTE SEULE ICI, MADEMOISELLE?
POF!
TOTALEMENT SEULE. VOUS ME RENDEZ MON OMBRELLE? VOUS VOUS EN SERVEZ MAL.

ET PAR QUEL HASARD EN ÊTES-VOUS ARRIVÉE À CETTE SOLITUDE?
CE N'EST PAS PAR HASARD...

HC 10-5

C'EST QUE J'AIME ÊTRE TRANQUILLE POUR DÉCOUVRIR DE NOUVEAUX LIEUX.
SI JE VOUS DÉRANGE, JE PEUX PARTIR.

CE N'EST PAS INDISPENSABLE, VOUS AVEZ L'AIR SYMPATHIQUE.
MERCI. VOUS N'ÊTES PAS MAL NON PLUS.

ET QU'EST-CE... OUF QUI VOUS AMÈNE ICI?

LE DÉSIR DE VOIR ET D'APPRENDRE. J'AI PARCOURU LA MOITIÉ DU MONDE, CE SERA BIENTÔT LE TOUR DE L'AUTRE MOITIÉ. VIVRE, C'EST VOYAGER.
THONK!
PONK! PONK! PONK!

JE SUIS VRAIMENT PLEIN D'ADMIRATION.

PARCE QUE JE SUIS UNE FEMME?
EH BIEN... OUI. D'HABITUDE LES FILLES NE SONT PAS AUSSI... RÉSOLUES.

PAR CONTRE VOUS, LES HOMMES, VOUS AVEZ L'HABITUDE DE RIVALISER D'ARROGANCE ET DE PRÉTENTION.

MAIS ACCOMPAGNEZ-MOI UN INSTANT: PEUT-ÊTRE POURRAI-JE VOUS EXPLIQUER DEUX OU TROIS CHOSES SUR "LES FILLES" QUE VOUS SEMBLEZ IGNORER.

HC 10-6

ET NE CRAIGNEZ RIEN. JE SUIS ARMÉE.

ÎLE BAKALAOO. VINGT ANS PLUS TARD...
HC 10-7
ÇA MORD, VOISIN ?
NON, NUTEL-LA, RIEN DU TOUT.

POURTANT, AVANT, LA PÊCHE ME RÉUSSISSAIT TRÈS BIEN...
JE ME FAIS PEUT-ÊTRE VIEUX...

C'EST PARCE QUE ÇA FAIT LONGTEMPS QUE TU N'AS PAS PRATIQUÉ!
??

LAISSE-MOI T'AIDER À TE RAPPELER COMMENT ON FAIT...

BOUGE DOUCEMENT LA CANNE... COMME ÇA... DÉTENDS-TOI, NE SOIS PAS SI RAIDE... TU N'AS RIEN À PROUVER... LAISSE-TOI ALLER...

C'EST ÇA... TRÈS BIEN... ÇA MORD DÉJÀ. TU LE SENS? DOUCEMENT, DOUCEMENT... IL VIENT...

ÇA Y EST PRESQUE...

MAINTENANT! SORS-LE!
ZZIIIUPS

HC 10-8

TU VOIS? AVEC UN PEU DE PRATIQUE, VOISIN... CES CHOSES-LÀ NE S'OUBLIENT PAS!

SOUS LES FONDATIONS DU PALAIS PIRANESE, RÉSIDENCE DU GOUVERNEUR, SE DÉPLOIE UN DÉDALE DE TUNNELS QUI CONDUIT À DE TERRIBLES OUBLIETTES...
...LE SEUL ENDROIT DU MONDE OÙ TOUT PIRATE REDOUTE DE FINIR !

ET MOI, JE DIS, FLUBBER... QUE CES INSTALLATIONS DOIVENT COÛTER UNE FORTUNE À ENTRETENIR...
OH, JE NE CROIS PAS, VIRGILE ! EN RÉALITÉ, C'EST UNE BONNE AFFAIRE !

LE GOUVERNEUR REÇOIT D'EUROPE DES SUBVENTIONS CONSIDÉRABLES...
TOUTES LES GRANDES MONARCHIES ONT BESOIN DE L'EXISTENCE D'UN TEL LIEU !

HC 10-9

TU VERRAS : IL Y A TOUJOURS QUELQU'UN À ÉLIMINER... UN GENDRE QUI FAIT DES AFFAIRES POUR SON PROPRE COMPTE ET QUI FINIT PAR ÊTRE DÉCOUVERT PAR L'OPINION PUBLIQUE...
...UNE MAÎTRESSE INDISCRÈTE QUI PEUT DÉTRUIRE UN BON MARIAGE...
...UN NOBLE QUI PRÉTEND AU TRÔNE OU UN INTELLECTUEL...

CES OUBLIETTES À 9 000 KILOMÈTRES DU CONTINENT SONT LA SAUVEGARDE DES EMPIRES !

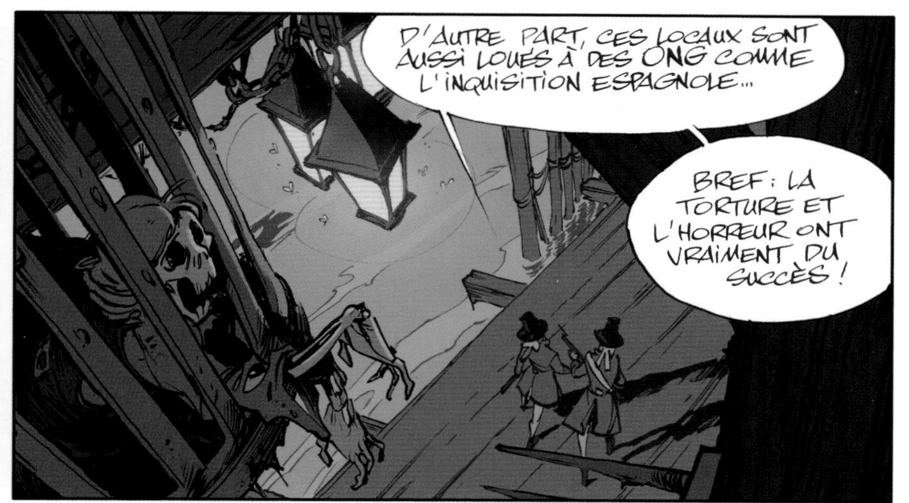
D'AUTRE PART, CES LOCAUX SONT AUSSI LOUÉS À DES ONG COMME L'INQUISITION ESPAGNOLE...
BREF : LA TORTURE ET L'HORREUR ONT VRAIMENT DU SUCCÈS !

ET TOUS LES PIRATES QUE NOUS ENFERMONS ?
AH ! ÇA, C'EST UNE ŒUVRE SOCIALE ! ON NE LE FAIT QUE POUR UNE QUESTION D'IMAGE !

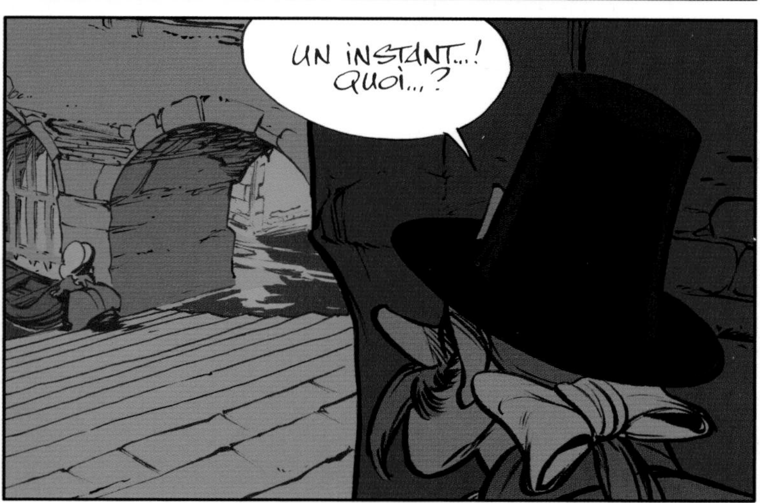
UN INSTANT...! QUOI...?

HALTE !
QUI VA LÀ ?

JE SUIS LADY SOPHIA DE HOLLOWSIDE ET J'AI L'AUTORISATION DU GOUVERNEUR INFERNO DE VISITER LES CONDAMNÉS.
JE LEUR APPORTE LEUR DERNIER REPAS.

HC 10-10

QUE CES DAMES DE HAUTE LIGNÉE SONT CAPRICIEUSES !
PAS DE SOUCI : DEMAIN, LE CAPRICE PENDRA À LA POTENCE !

CARAPEPINO!
LADY SOPHIA! VOUS ÊTES REVENUE!

OH, MON BEAU PETIT OISEAU DODU! VOUS ÊTES AUSSI GÉNÉREUSE DE FORMES QUE DE COEUR.
DU FAISAN! COMME C'EST DÉLICAT!

VOUS ÊTES LA SEULE À COMPRENDRE LA TERRIBLE INJUSTICE QUE NOUS SUBISSONS.

ME VOILÀ ICI, CONDAMNÉ À MORT PAR LE CAPRICE DES PUISSANTS, MOI QUI SUIS INNOCENT COMME UN ENFANT!!

C'EST VRAI QUE JE PARLE SANS QU'ON ME LE DEMANDE ET QUE JE DONNE MON AVIS SUR TOUT, SANS TOUJOURS SAVOIR CE QUE JE DIS, MAIS CELA N'EST QU'UNE PREUVE DE MA NATURE ENFANTINE.

HC 10-11

ET QUEL DÉLIT PEUT BIEN COMMETTRE UN ENFANT POUR MÉRITER UNE CONDAMNATION À MORT?
QUEL BAGOU, CARAPEPINO!
TAIS-TOI, HAGGINS!

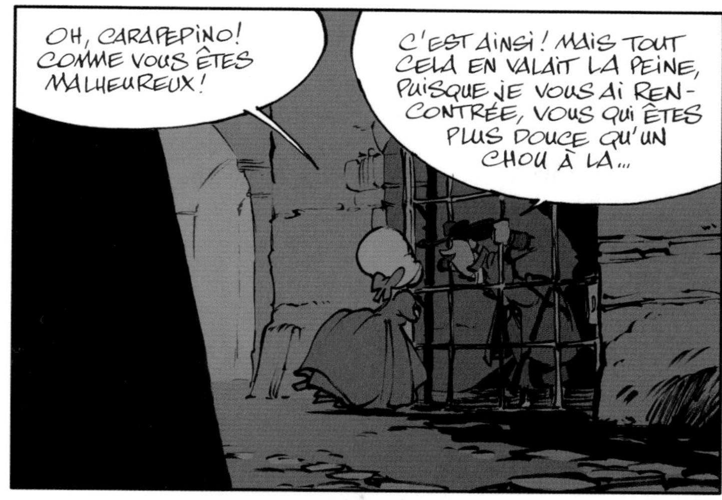
OH, CARAPEPINO! COMME VOUS ÊTES MALHEUREUX!
C'EST AINSI! MAIS TOUT CELA EN VALAIT LA PEINE, PUISQUE JE VOUS AI RENCONTRÉE, VOUS QUI ÊTES PLUS DOUCE QU'UN CHOU À LA...

AIDEZ-MOI À SORTIR D'ICI ET JE VOUS PROMETS UNE VIE TRUFFÉE DE PROMESSES!

ET VOUS LES TIENDREZ TOUTES?
DAME... C'EST L'INTENTION QUI COMPTE...

OUI! SORTEZ DE CE CACHOT ET EMMENEZ-MOI CAPTIVE À LA PRISON DE LA PASSION!
OUI! MAIS... COMMENT? COMMENT?

J'AI CACHÉ DANS LE FAISAN UN PASSE-PARTOUT!!
LES GARDES N'ONT RIEN SOUPÇONNÉ!

VOILÀ BIEN MA CHÉRIE! BELLE COMME UN ÉCUREUIL HYPERTROPHIÉ!
ET MALIGNE COMME UNE SOURIS EN SURPOIDS!
HC 10-12

CRUNCH! NIAM!
ET BONNE CUICHINIÈRE! LE FAICHAN ÉTAIT DÉLICHIEUX!
?!

HAGGINS!! TU... TU L'AS MANGÉ??!
BIEN SÛR!
NE DIS RIEN À LA FILLE, PATRON, MAIS IL ÉTAIT SUPER-DUR...

... ET ELLE ÉTAIT BRUNE... ET AUSSI AGILE QUE PAPA...
ELLE EST BELLE !

ET MOI ? OÙ J'ÉTAIS, MOI ?
TOI...?

LÀ, DANS SON PETIT VENTRE, PARCE QUE TU N'ÉTAIS PAS ENCORE NÉE, TU VOIS ?
AH !

HÉ, LES FILLES ! QU'EST-CE QUE VOUS FAITES ?
SALUT, PAPA !

VOUS FAITES DE L'ART ! BIEN, BIEN... C'EST TRÈS JOLI !
J'ESSAYAIS D'EXPLIQUER À GENOVA COMMENT ÉTAIT MAMAN... JE N'AI PAS TRÈS BIEN RÉUSSI...

AH...

GENOVA... REGARDE TOUT CE QUE J'AI PÊCHÉ... CE SOIR, NOUS MANGEONS DE LA FRITURE !
DE LA FRITURE ?!
BERK !

COMMENT ÇA, "BERK" ? TU NE DISAIS PAS QUE TU EN AVAIS ASSEZ DES SALADES ?
SI C'EST DE LA VIANDE QUE JE VEUX !!

J'AI BESOIN DE PROTEÏIIINES !
DE HAMBURGERS !
DE BIIIIIFTECKS !
D'ESCALOOOPES !

BON... ÇA SUFFIT ! À LA MAISON ! ET QUE JE NE T'ENTENDE PLUS !
PONK !

QUAND ON PENSE À TOUS CES ENFANTS QUI MEURENT DE FAIM, TU DEVRAIS...

HC 10-14

FINALEMENT... JE CROIS QUE JE VAIS PLUTÔT VOUS FAIRE UNE PIZZA...
MERCI, PAPA !!
T'ES VRAIMENT SUPER !!

LES VAGUES RUGISSENT, LE VENT HURLE, MAIS AUCUN DES ÉLÉMENTS DE LA PARTITION NE SURPASSE LA CLAMEUR PRODUITE PAR...

... LES CRIS DES HOMMES !!
DU SANG !
¡AAAH!
TELLE EST LA MUSIQUE QUI PRÉCÈDE LA BATAILLE !
PAS DE QUARTIER !
TELLE EST LA FANFARE DE L'ABORDAGE !

EH ! BONJOUR.
BIENVENUE À BORD.
CAFÉ ? THÉ ?
DES PETITS GÂTEAUX ?

M... MAIS... VOUS VOUS RENDEZ?
VOUS NOUS ABANDONNEZ LE NAVIRE SANS LIVRER BATAILLE?

EUH... EN TEMPS NORMAL NOUS COMBATTRIONS...
MAIS AUJOURD'HUI NOUS N'AVONS RIEN À DÉFENDRE...
MOURIR POUR MOURIR EST UNE IDIOTIE.

COMMENT ÇA, "VOUS N'AVEZ RIEN À DÉFENDRE"?

IL Y A À PEINE 10 MINUTES QUE NOUS AVONS ÉTÉ SAUVAGEMENT ATTAQUÉS PAR LE REDOUTABLE PIRATE MORGAN!
IL NOUS A MÊME LAISSÉ SA CARTE DE VISITE!
UN DÉTAIL PLEIN DE FINESSE...

ÇA FAIT PLAISIR D'ÊTRE PRIS D'ASSAUT DE CETTE FAÇON!
VOYONS ÇA...
SNAP!

LE BONHOMME A DE LA CLASSE, C'EST SÛR...
Ce navire a été mis à sac par le redoutable pirate Morgan. Merci de votre collaboration.
HC 11-2

C'EST LA TROISIÈME FOIS EN UN MOIS QU'IL NOUS SIFFLE UNE PROIE!!
JE JURE SUR MA CARCASSE QUE ÇA NE VA PAS CONTINUER COMME ÇA!!
JE VAIS LUI TATOUER SON EMBLÈME SUR LES GONADES!!

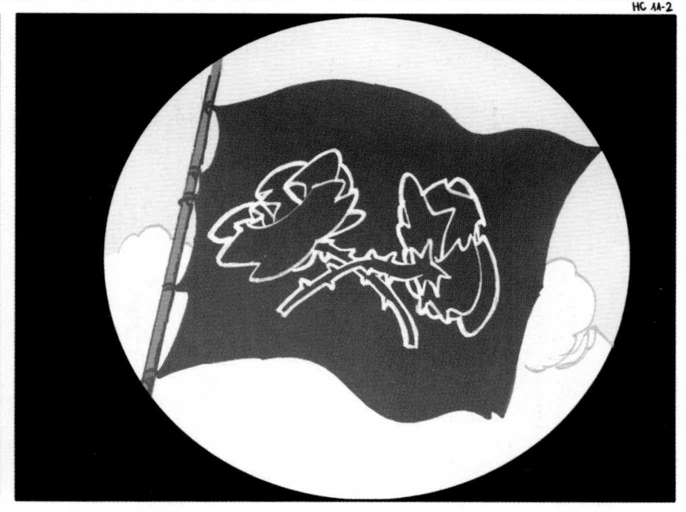

UNE ROSE BLANCHE? CE SERAIT DÉCEVANT QUE VOUS FINISSIEZ PAR VOUS RÉVÉLER ROMANTIQUE, BARON INFERNO...

SOYEZ TRANQUILLE, LADY HELVETIA...
JE ME LAISSAIS SEULEMENT ALLER À MES SOUVENIRS.

C'EST CURIEUX COMME IL EST SIMPLE DE SUPPRIMER UNE VIE...
... MAIS DIFFICILE DE SE DÉFAIRE DE CERTAINS SOUVENIRS !!

ILS SONT POISSEUX COMME LE BRAI.
AH, AH ! IL S'AGIT D'UNE FEMME?
UN ÊTRE MOINS DOUX ET PRESQUE AUSSI IMPITOYABLE: UN PIRATE !
MONSIEUR !! URGENCE !!

CARAPEPINO... IL S'EST ÉCHAPPÉ !!
?!

HC 11-3

LA PRISON DU PALAIS N'ÉTAIT-ELLE PAS SOI-DISANT EXEMPTE DE TOUTE FAILLE?
SI, MONSIEUR...
ET N'EST-CE PAS TOI LE RESPONSABLE DE LA SÉCURITÉ?
SI, MON-SIEUR...

JEFFREY, TON INCOMPÉTENCE EST SI PARFAITE QU'ELLE FRÔLE LE GÉNIE !!
RETROUVE CARAPEPINO, SINON, CE SOIR, C'EST TON COU QUE LA CORDE CARESSERA !

♪...

TOK!
TOC!

BOOOONSOIR!
AH! BONSOIR, VOISIN!

HUMM... JE...
...VOULAIS TE DEMANDER SI...

ENFIN... APPAREMMENT, LA FRITURE DE POISSON NE PLAÎT PAS À LA NOUVELLE GÉNÉRATION...
...LES FILLES PRÉFÈRENT LA PIZZA ET... CE SERAIT VRAIMENT DU GÂCHIS DE JETER TOUT CE POISSON...

...ALORS JE ME DEMANDAIS SI TU...

JE TERMINE JUSTE DE DÎNER...
...MAIS JE PEUX PRÉPARER DES COCKTAILS ET TE TENIR COMPAGNIE.

D'ACCORD.

ON PARLE AUSSI FRITURE DANS LES CACHOTS DU PALAIS PIRANESE...
AMENEZ-MOI CARAPEPINO OU JE VOUS FAIS TOUS JETER DANS L'HUILE BOUILLANTE COMME SAINT JEAN !!

TOUT FONCTIONNE AVEC LA PRÉCISION D'UNE HORLOGE SUISSE.
COMME C'EST EXCITANT !

BON, RÉCUPÉRER LA CLÉ N'A PAS ÉTÉ FACILE...
ELLE A JUSTE SUIVI LA VOIE NATURELLE, MON CHER.

ET MAINTENANT, COMMENT ON SORT D'ICI ?
HAGGINS, TON AISANCE INTESTINALE N'A D'ÉGALE QUE TA LENTEUR D'ESPRIT !

N'AS-TU PAS REMARQUÉ QUE CES OUBLIETTES PLONGENT AU PLUS BAS DANS LES FONDATIONS DU PALAIS... ?

HC 11-5

PLUS BAS, TOUJOURS PLUS BAS, COMME SI ELLES DESCENDAIENT LE LONG D'UN GOUFFRE INFINI, JUSQU'AU COEUR DE L'ENFER !!

DONC POUR SORTIR, IL SUFFIRA, EN TOUTE LOGIQUE, DE SUIVRE LE CHEMIN INVERSE...
... VERS LE HAUT !

* MOJITO EN FÊTE.

HC 11-6

C'EST INCROYABLE COMME LE TEMPS PASSE !

À CETTE ÉPOQUE-LÀ, J'ÉTAIS ENCORE UN GAMIN...
GLUBS ! GLUBS ! GLUBS !

J'AI TOUJOURS CE MORGAN DANS LA TÊTE, FRANGIN, JE VEUX SA PEAU !
HIC !!

FAFF... FANNY ??!

OHÉÉÉ, OOOH... HIC ! FANNYYY CHÉRIIIIIIIE !!

CAMPBELL, SERAIS-TU SAOUL ?
S... S... S... SAOUL ? QU... QUELLE-HIC ! IDÉE !

JE S... SUIS JUSTE... HIC... CONTENT... TU ME PRÉ... PRÉSENTES PAS À TES... HIC... DEUX ÉNORMES AMIS ??
BIEN SÛR, VOICI PETIT JOHN...
PETIT ? HA ! HA ! HA ! HA ! HA...

BLIMM
BIMM
EXCUSEZ MON FRÈRE, MADEMOISELLE. IL SEMBLE QUE LES MOJITOS AIENT EXACERBÉ SON BONHEUR AU-DELÀ DU SUPPORTABLE.

MAIS C'EST BIEN COMPRÉHENSIBLE. CE N'EST PAS TOUS LES JOURS QU'ON CROISE DES DAMES DE VOTRE CLASSE ICI.

LES DAMES DE LA RÉGION S'HABILLENT AVEC LUXE MAIS SANS AUCUN CHIC, ET LES RUBIS DONT ELLES CHARGENT LEURS OREILLES NE FONT QUE SOULIGNER L'ÉCLAT LUISANT DE LEUR TEINT OLIVÂTRE.

ALORS QUE VOS MANIÈRES, CHÈRE DEMOISELLE, ONT CETTE SIMPLICITÉ QUI EST L'APANAGE DE L'ÉLÉGANCE.
CE N'EST PAS NON PLUS COURANT DE RENCONTRER TANT DE TALENT LITTÉRAIRE DANS CE REPAIRE DE PIRATES...
CHACUN SES DONS.

HC 11-8

JE VOUS PRIE DE BIEN VEILLER SUR CEUX DE VOTRE FRÈRE, SINON ON FINIRA PAR LUI CASSER SON JOLI PETIT NEZ...

FAAAANNY...

FANNYYYY...
BZZZ...
ALLEZ, RENTRONS AU BATEAU...
ATTENDEZ!

PERMETTEZ-MOI DE ME PRÉSENTER: CARAPEPINO, AVENTURIER ÉCLECTIQUE.
JE VOLE, J'ESCROQUE, JE TRAFIQUE ET JE VENDS MA LOYAUTÉ AU PLUS OFFRANT.

EXCELLENT C.V.
AUTRE CHOSE?
J'AI ÉCOUTÉ VOTRE CONVERSATION AU BAR...

VOUS ÉCOUTEZ LES CONVERSATIONS DES AUTRES? BRAVO!
MERCI. C'EST UN DE MES MULTIPLES DONS.
ET LA MODESTIE?
J'EN REGORGE!

IL SE TROUVE QUE JUSQU'À HIER J'ÉTAIS MARIN SUR UN CÉLÈBRE NAVIRE...
ABRÈGE, TU VEUX! CE GARÇON N'A RIEN DANS LE CIBOULOT MAIS IL PÈSE UN ÂNE MORT.

LE NAVIRE D'UN PIRATE TERRIFIANT DONT ON NE SAIT PRESQUE RIEN...

HC 11-9

LE REDOUTABLE PIRATE MORGAN!
QUOI? TU LE CONNAIS?
AÏE!
POF!

ABSOLUMENT. ET JE SERAIS RAVI DE PARTAGER CE QUE JE SAIS DE LUI...
...EN ÉCHANGE D'UNE JOLIE PETITE FORTUNE!

AAAAH !! ON N'EST PAS MAL ICI, EN HAUTEUR !

BEAUCOUP MIEUX QU'AU NIVEAU DES OUBLIETTES !!
DE L'AIR PUR, UNE VUE MAGNIFIQUE...

ÇA DONNE JUSTE UN PEU LE VERTIGE...

!!?
BOF !
ALORS NE REGARDEZ PAS EN BAS !

OOOOOAAAHHHH

HC 11-10

HMM... FINALEMENT, ON EST PEUT-ÊTRE MONTÉS UN PEU TROP.
ET COMMENT ALLONS-NOUS DESCENDRE MAINTENANT, MON VAILLANT FUGITIF ?

EN SE GROUILLANT !! Y A UNE FLOPÉE DE SOLDATS QUI ARRIVENT !!

LADY SOPHIA, VOUS ME FAITES CONFIANCE ?
AVEUGLÉMENT ! AVEUGLÉMENT !

UN PEU PLUS TARD...
HA! HA! HA!

QU'EST-CE QUE JE TE DISAIS, HAGGINS ??!
TOUT CE QUI A L'AIR ABSURDE, IL FAUT LE FAIRE SUR-LE-CHAMP!

JE NE CONTESTE PAS QUE LA SOLUTION SOIT INVENTIVE, PATRON...
... MAIS QUAND LE VENT NE NOUS POUSSERA PLUS ET QUE NOUS FINIRONS PAR TOMBER À L'EAU...

QUEL ACCUEIL NOUS FERA LE BANC DE FANS VORACES QUI EST À NOS TROUSSES?
JE TROUVERAI UNE IDÉE... JE TROUVE TOUJOURS UNE IDÉE! ALORS... FERME-LA, HAGGINS!

ON RACONTE BEAUCOUP DE CHOSES SUR LE PIRATE MORGAN, MAIS AU FOND, ON N'EST SÛR DE RIEN.

ON DIT QUE LE VENT S'UNIT AUX VAGUES POUR DONNER DE LA VITESSE À SON NAVIRE.
ON NE SAIT PAS SI C'EST UN HOMME OU UN DÉMON, CAR PERSONNE NE L'A JAMAIS VU SANS LA CAGOULE QUI COUVRE SON VISAGE.

CERTAINS AFFIRMENT QU'IL N'A NI VISAGE NI CORPS ET QUE C'EST LA MORT ELLE-MÊME QUI LOGE SOUS SES HABITS.
AH ! LA LITTÉRATURE BON MARCHÉ !

EN TOUT CAS, UNE CHOSE EST SÛRE, DURANT TOUT LE TEMPS OÙ J'AI ÉTÉ À SON SERVICE, JE N'AI JAMAIS VU SON VISAGE.
POURQUOI DONC PORTE-T-IL CE MASQUE?
PEU IMPORTE! QUAND JE LE TIENDRAI, IL FINIRA TELLEMENT DÉFIGURÉ QU'IL NE RECONNAÎTRA MÊME PLUS SON PROPRE REFLET!

AUTRE CHOSE... SON BATEAU RATTRAPE TOUJOURS LES GOÉLETTES ANGLAISES.
ÇA, C'EST VRAI.
ON DIRAIT QU'IL CONNAÎT À L'AVANCE LEUR ROUTE ET LE MOMENT OÙ ELLES LA PRENDRONT...

C'EST COMME S'IL LES ATTENDAIT!

OUI.
PARCE QUE DE FAIT, IL LES ATTEND !!!

JUSTE AVANT DE QUITTER LE NAVIRE DU REDOUTABLE MORGAN, JE ME SUIS VAILLAMMENT INTRODUIT DANS SA CABINE.
JE VEUX QUE TOUT SOIT PARFAITEMENT PROPRE AVANT LE RETOUR DU CAPITAINE...
ET NE TOUCHE À RIEN!
D'ACCORD, D'ACCORD...

ET COMME IL SE TROUVE QUE JE SUIS QUELQU'UN DE CURIEUX ET DE PERSPICACE...
JE VAIS M'INSTALLER ICI AU CALME POUR UNE PETITE SIESTE...
...J'AI DÉCOUVERT SUR LA TABLE UN REGISTRE AVEC LES MOUVEMENTS DE LA FLOTTE ANGLAISE PRÉVUS LES SIX PROCHAINS MOIS!!
PAR LA BARBE DE JONES L'HIRSUTE!

QU... QUE DIS-TU QU'IL Y AVAIT DANS CE REGISTRE ?
TOUT ! DANS QUEL PORT CHAQUE NAVIRE DOIT APPAREILLER, À QUELLE DATE ET QUELLE SERA SA ROUTE...
C'EST COMME ÇA QUE MORGAN PEUT DEVANCER LES MOUVEMENTS DES ANGLAIS !

ET... TU TE SOUVIENS DE CE QUI ÉTAIT NOTÉ ?
NON...

J'AI TOUT RECOPIÉ !
EN TOUTES PETITES LETTRES !

MAIS... C'EST UN TRÉSOR !
ÇA N'A PAS DE PRIX, EN EFFET.
HMM...

TROP FACILE...
C'EST LA PURE VÉRITÉ. JE LE JURERAIS SUR LA TOMBE DE MON PÈRE, SI JE SAVAIS QUI FUT CETTE FRIPOUILLE.
ALORS JURE-LE SUR CELLE DE TA MÈRE.
IMPOSSIBLE, ELLE VIT TOUJOURS.

NOUS NE TARDERONS PAS À VÉRIFIER TOUT ÇA. MAIS SI CETTE INFORMATION EST VRAIE...
...NOUS AURONS LE CONTRÔLE SUR TOUTES LES MARCHANDISES QUI CIRCULENT DANS LES CARAÏBES...
...ET NOUS DÉCOUVRIRONS QUI SE CACHE DERRIÈRE LE MASQUE DE MORGAN !!

ON TROUVE, SUR L'ÎLE BAKALAOO, LES TROIS PIRES ANGOISSES DE L'HOMME CIVILISÉ...
...UNE NATURE EXUBÉRANTE LIVRÉE À ELLE-MÊME...
...UNE COMMUNAUTÉ DE LÉPREUX...
...ET UNE JEUNE ADOLESCENTE...

TU AS DE TRÈS BEAUX CHEVEUX, ITACA...
?!?!

MAIS TU NE DEVRAIS PAS LES CACHER SOUS CE BONNET SI TU VEUX INTÉRESSER LES GARÇONS !

PFF !
POURQUOI JE M'INTÉRESSERAIS À EUX ALORS QU'ILS NE S'INTÉRESSENT À RIEN QUI M'INTÉRESSE, MOI ?

ILS SONT ÉGOÏSTES ! MENTEURS ! ON NE PEUT PAS LEUR FAIRE CONFIANCE !

CE QUI EST SÛR, C'EST QU'ON A BEAU INSINUER LES CHOSES BIEN CLAIREMENT, ILS NE COMPRENNENT RIEN.
TRAÎTRES ! VAURIENS !

ILS VIVENT PRISONNIERS DE LEUR PASSÉ ! INCAPABLES DE VOIR CE QU'ILS ONT DEVANT EUX !
COMMENT PEUT-ON FAIRE CONFIANCE À QUELQU'UN QUI VENDRAIT SA GRAND-MÈRE POUR UN BALLON ?
ESPÈCES DE GRANDS DADAIS !
ESPÈCES DE PIRATES !

MAIS CERTAINS SONT TELLEMENT BEAUX...
ÇA C'EST VRAI...
12-05

FRANCHEMENT, BARON, JE CROIS QUE VOUS EXAGÉREZ...
AU CONTRAIRE, LADY HELVETIA, LA POTENCE EST BIEN PEU DE CHOSE POUR L'INCOMPÉTENCE DE JEFFREY.

SI L'INCOMPÉTENCE ÉTAIT UN DÉLIT, IL FAUDRAIT EXÉCUTER LA MOITIÉ DE L'ANGLETERRE.

LA JUSTICE N'EST QU'UNE FORME DE FOLKLORE, LADY HELVETIA...
12-06

RIEN NE SATISFAIT PLUS LE PEUPLE QUE LE SPECTACLE DE LA MORT INTERPRÉTÉ PAR UN BOURREAU ET UN BOUFFON.

COMME VOUS LE SAVEZ, BARON, JE SUIS L'HÉRITIÈRE DU DUCHÉ DE HOLLOWSIDE...
CE N'EST QU'UN DES NOMBREUX ATTRAITS DONT VOUS ÊTES PARÉE, CROYEZ-MOI.

MAIS, HÉLAS, LE TITRE EST DÉPOURVU DE DOT : LE DUCHÉ EST RUINÉ.

VOUS, CEPENDANT, VOUS NE MANQUEZ DE RIEN, SI CE N'EST LE RESPECT QU'OCTROIE UN NOM ILLUSTRE.
EN EFFET, J'AI EU DU SUCCÈS MALGRÉ MES ORIGINES MODESTES.

UN DUC EST JUSTE UN ÉCHELON EN DESSOUS D'UN ROI MAIS TROIS AU-DESSUS D'UN BARON.
PEUT-ÊTRE UNE ASCENSION RAPIDE VOUS INTÉRESSERAIT-ELLE ?

LADY HELVETIA, EST-CE UNE DEMANDE EN MARIAGE ?
EN EFFET ! JE VOUS PROPOSE D'ASSOCIER MON PRESTIGE À VOTRE OR...

CONSIDÉREZ CELA COMME UNE FORME DE FOLKLORE DE CLASSE SUPÉRIEURE.

PENDANT CE TEMPS, EN PLEINE MER...
NOUS PERDONS DE L'ALTITUDE !

AAHHH
FOUFF!
FOUFF!
FOUFF!
FOUFF!
SOUFFLE, HAGGINS, SOUFFLE !
GRRRR

FOUFFF!! FOUFFF!!
TERRE EN VUE !
FOUFF! FOUFF!
FOUFF!
FOUFF!! FOUFF!!
SSSPLOOS

SCHOOFS!!

12-08

ENCORE UN PEU, MES BRAVES !! ALLEZ !!
FOUFF!! FOUFFF!!
FOUFF!!
FOUFF!
FOUFF!!
FOUFF!!

HAGGINS, BALANCE-TOI !!
FOUFFF...
FOUFF...
FOUFF...

OUFF!
FOUFF!
SPLOSH

PARFAIT ! À MON SIGNAL, LÂCHE LADY SOPHIA !!
FOUFF!
FOUFF!
FOUF

MAINTENANT, HAGGINS !! LÂCHE-LA !!

ET HOP !! TERRE !!
TAP !!

AAAAAAH !
MILADY, VOUS NE DESCENDEZ PAS ?
JE NE PEUX PAS, LE VENT M'EMPORTE !!
C'EST LOGIQUE, SANS NOUS, ELLE PÈSE MOINS...

CARAPEPINO ! SAUVE-MOI !
ELLE REPART VERS LE LARGE, SUIVIE PAR SES FANS...
QUI AURAIT CRU QU'UNE MATIÈRE SI DENSE POUVAIT CACHER UN ESPRIT D'UNE TELLE LÉGÈRETÉ...

PEUT-ÊTRE QU'IL Y A UNE MORALE À TOUT ÇA...
CELLE-CI, HAGGINS : "ÉTHÉRÉE ET VOLAGE, TELLE EST LA NATURE FÉMININE !"

OU ENCORE : "LES PROMESSES D'AMOUR SONT EMPORTÉES PAR LE VENT !"

MAIS VOYONS LE CÔTÉ POSITIF DES CHOSES : CE QUE NOUS AVONS PERDU EN CANDEUR ROMANTIQUE, NOUS L'AVONS GAGNÉ...
... EN APPÂT POUR LES REQUINS ! ET NOUS SOMMES PRESQUE SUR LA PLAGE !
NAGE VITE, CARAPEPINO, VITE, VITE !!

BON, LES FILLES, VOUS VOUS OCCUPEZ D'ACHETER LES LIVRES DU CHEF ET MOI, LES MÉDICAMENTS. NOUS NOUS RETROUVONS ICI DANS DEUX HEURES.
D'ACCORD, PAPA.

AMUSEZ-VOUS, MAIS N'ALLEZ PAS VOUS MÊLER DES HISTOIRES DES AUTRES!

À TOUT À L'HEURE!

QU'ON NE SE MÊLE PAS DES HISTOIRES DES AUTRES?
COMMENT VEUT-IL QU'ON S'AMUSE, ALORS?

QU'EST QU'IL VOUDRAIT? QU'ON RESTE BIEN TRANQUILLES À LIRE?
HOOK & BOOK

SÉANCES DÉDICACES
BONJOUR, THESAURUS!
AH! BONJOUR, ITACA! BONJOUR, GENOVA!

COMMENT SE PORTE CE BON CHEF DE BAKALAOO, MON CLIENT FAVORI?
BIEN, BIEN... ET TOI, COMMENT TU VAS?

OH, TU SAIS BIEN... LE COMMERCE DES LIVRES N'EST JAMAIS UNE AFFAIRE!
MAIS JE NE ME PLAINS PAS... J'ARRIVE ENCORE À GAGNER MA VIE!!

EH BEN TU DEVRAIS AVOIR HONTE! TU GAGNES TA VIE EN RUINANT DES ENFANCES ENTIÈRES
Q... QUOI?!!

J'OFFRE DE LA CULTURE, DES AVENTURES ET DE L'ART À DES PRIX TRÈS RAISONNABLES!
NOUS VIVONS DANS LES CARAÏBES, RIEN DE CE QUE TU OFFRES NE PEUT SURPASSER CELA!

UN ENFANT QUI PASSE LA JOURNÉE À LIRE EST UN ENFANT QUI NE JOUE PAS, ET UN ENFANT QUI NE JOUE PAS, C'EST... UN CRIME!
UN ENFANT QUI NE LIT PAS EST UN ADULTE EN SITUATION D'ESCLAVAGE!

UN LIVRE EST UN CONDENSÉ D'EXPÉRIENCE, UNE FENÊTRE OUVERTE SUR LE MONDE!
TU VEUX LE VOIR LE MONDE? EH BEN, FERME LE LIVRE ET VAS-Y, DANS LE MONDE!
C'EST TOUJOURS LA MÊME CHOSE...

???!

MAIS... C'EST... ???!

LUCA LE BLOND !

L'ONGUENT QUE JE VOUS AI PRÉPARÉ LA SEMAINE DERNIÈRE DONNE-T-IL DES RÉSULTATS ?
APPAREMMENT, ÇA LES SOULAGE BEAUCOUP, PENNYSILLINE.
PHARMACIE
Herbes du Monde.

BONJOUR, PENNY.
MON PETIT LUCA ! COMMENT VA TA MÈRE ?

EUH... PAS TRÈS BIEN, PENNY...
IL N'Y A PAS DE CHANGEMENTS...

TIENS, MON GARÇON. J'AIMERAIS POUVOIR FAIRE PLUS, MAIS CES HERBES DOIVENT TRAVERSER L'OCÉAN ET ELLES SONT TRÈS CHÈRES. TROIS GOUTTES À CHAQUE REPAS.
MERCI, PENNY.

EH, P'TIT GARS...
TU AS BESOIN D'AIDE? JE...

JE N'AI BESOIN DE RIEN, NI D'AIDE NI DE CHARITÉ. MERCI.

...TISANE DE MANDRAGORE. VOILÀ, TU AS LES MÉDICAMENTS POUR TOUTE LA TRIBU, CAMPBELL.
MERCI, PENNY.
?!!
PENN

CAMPBELL?? VOUS ÊTES DE LA FAMILLE D'ITACA CAMPBELL?
OUI, JE SUIS SON PÈRE.
CES... MÉDICAMENTS, C'EST POUR ELLE?

NON, NON,... L'ADOLESCENCE EST UNE TERRIBLE MALADIE, MAIS ELLE SE SOIGNE TOUTE SEULE.

D'ACCORD... DITES-LUI QUE... OU PLUTÔT NON. NE LUI DITES RIEN...

PAUVRE GAMIN... IL S'OCCUPE TOUT SEUL DE LA FERME ET DE SA MÈRE MALADE.

TIENS, PENNY, PRENDS CET OR ET VEILLE À DONNER AU GAMIN CE DONT IL A BESOIN...
PENNY

... MAIS NE LUI DIS RIEN. LE GOSSE A SA FIERTÉ.
TU ES UN AMOUR, CAMPBELL.

ZIIIIIIIII...

ZIIIIIIII
THONK

PASSE M'EN UN AUTRE, THESAURUS.
« LE SONGE D'UNE NUIT D'ÉTÉ » ?
TROP LÉGER.
« LA DIVINE COMÉDIE » ?
SI LA COUVERTURE EST RIGIDE, C'EST PARFAIT.

13-05

ITACA... JE... LAISSE-MOI T'EXPLIQUER...
M'EXPLIQUER QUOI ?!!
« TRISTRAM SHANDY », L'ÉDITION DE LUXE, NEUF VOLUMES. SIGNÉS PAR L'AUTEUR.
NON, PAS CEUX-LÀ, JE T'EN PRIE !

M' EXPLIQUER POURQUOI TU NOUS AS TRAHIS !
TCHONK !

C'EST À CAUSE DE TOI QU'ON A DÛ DÉMÉNAGER !!
TONK !

NON !
CRASH.

EH BEN, TU VOIS, LES LIVRES COMMENCENT À ME PLAIRE...
OUI... TOUT CE QUI TE RESTE À FAIRE MAINTENANT, C'EST DE LES LIRE !
ADIEU, LUCA LE BLOND...

... J'ESPÈRE NE JAMAIS TE REVOIR !!

13-06

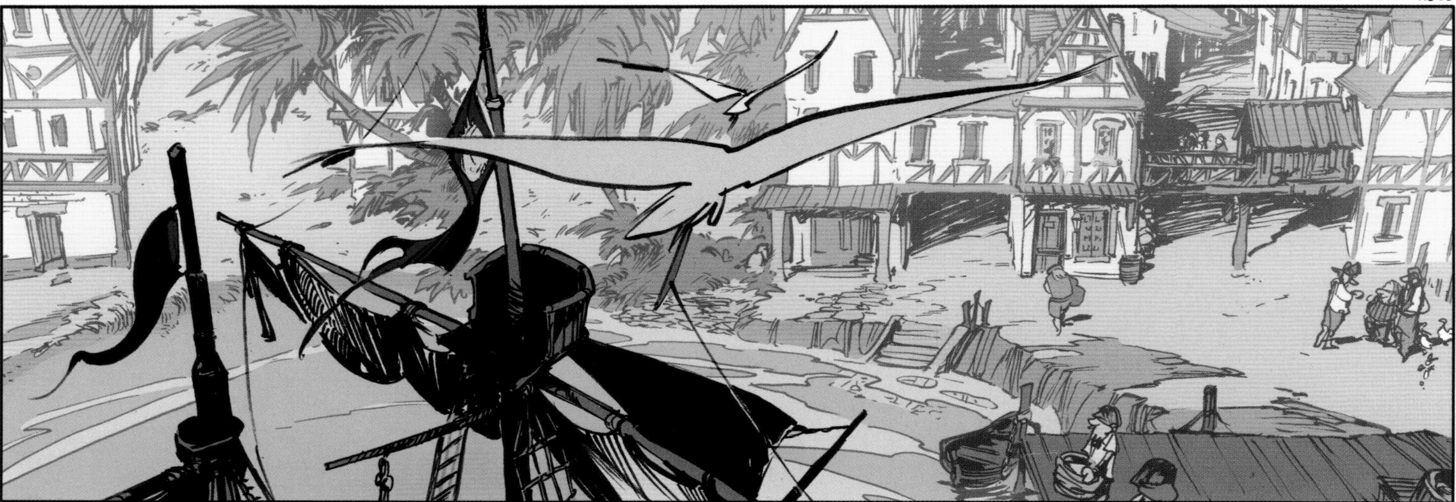

HÉ, CHAMPION !

ALORS, TOUJOURS PAS FINI, CE CONGÉ DE PATERNITÉ ?

13-07

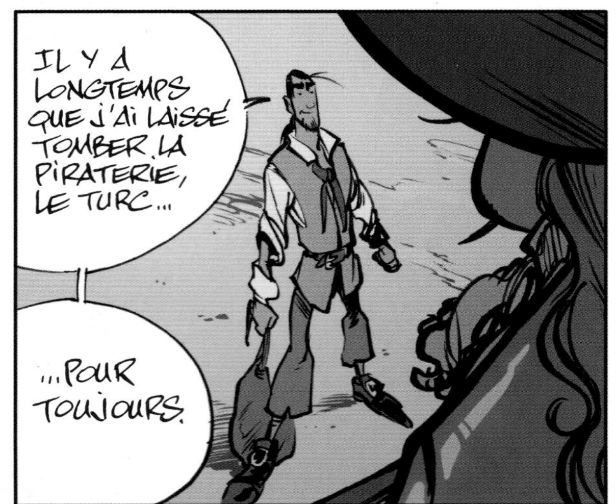
IL Y A LONGTEMPS QUE J'AI LAISSÉ TOMBER LA PIRATERIE, LE TURC...
...POUR TOUJOURS.

LA PIRATERIE, C'EST COMME LE RHUM...
¡SNAP!
ON NE LA LAISSE JAMAIS COMPLÈTEMENT TOMBER !

THONK!!

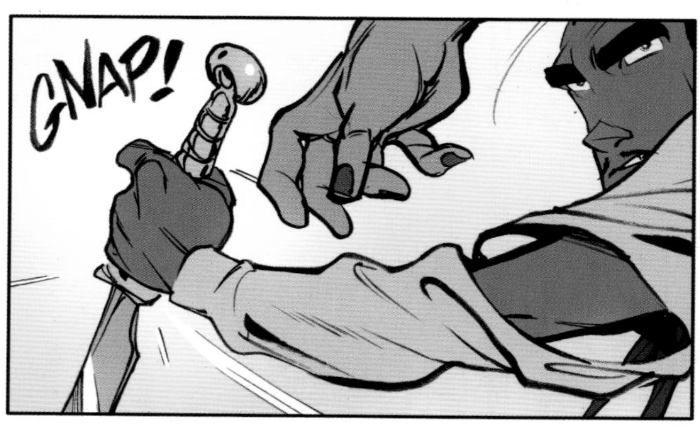
GNAP!

GNNé
...
BLOUF !

ZIUP
ZIUP

HOP !!!

TU VOIS CE QUE JE VOULAIS DIRE, CHAMPION ?

TU PEUX TOUJOURS ESSAYER DE TE CACHER, TU RESTERAS TOUJOURS UN PIRATE !
UN DES MEILLEURS...

... PRESQUE AUSSI BON QUE LE FUT LE REDOUTABLE MORGAN !

FEU !!

BOOOM!

QU'EST-CE QUE JE VOUS AVAIS PROMIS ? VOILÀ, VOUS AVEZ LE NAVIRE DU REDOUTABLE MORGAN... À VOTRE MERCI !
INCROYABLE !
N'ATTENDONS PLUS ! À L'ABORDAGE !

À L'ATTAQUE!

MA MAIN! UN TOUBIB!
MA JAMBE! UN MENUISIER!
RAAA-AH...

VOUS AVEZ VU MORGAN?
J'AI TROP À FAIRE...
CETTE ESPÈCE DE LÂCHE A DÛ SE CACHER!!
NE VOUS LAISSEZ PAS ABUSER PAR LES APPARENCES, J'AI BEAU PORTER UN MASQUE...

???!!
...JE NE ME DÉROBE JAMAIS!

HÉ, HÉ! IL EST PLUS PETIT QUE JE CROYAIS!
DIS DONC, BEAU GOSSE, TU N'ES PAS UN GÉANT, TOI NON PLUS!
MORGAN, IL Y A DES MOIS QUE TU T'INTERPOSES ENTRE NOUS ET NOS PROIES. VA-T'EN, QUITTE CES EAUX. ICI, C'EST NOTRE TERRITOIRE!
"TERRITOIRE" VIENT DE "TERRE", ET NOUS SOMMES AU MILIEU DE L'OCÉAN. LA MER M'APPARTIENT AUTANT QU'À VOUS.

TU PEUX GARDER LES POISSONS À CONDITION DE NOUS LAISSER LES ANGLAIS!
PFFF... HI, HI...
TU ES COMME TOUS LES AUTRES: TU NE PENSES PAS AVEC TON CERVEAU MAIS AVEC TON ÉPÉE.

IL Y A ASSEZ DE CARGAISONS D'OR EN ROUTE VERS L'ANGLETERRE POUR FONDER UN NOUVEL EMPIRE. POUR CHAQUE NAVIRE QUE NOUS ABORDONS, DIX PARVIENNENT À LONDRES.
CE SERAIT PLUS INTELLIGENT DE COORDONNER NOS ACTIONS QUE DE NOUS COMBATTRE LES UNS LES AUTRES.

MAIS JE NE ME FIE PAS BEAUCOUP À VOTRE INTELLIGENCE.
ALORS DÉCIDEZ-VOUS! COMMENT PRÉFÉREZ-VOUS ÊTRE BATTUS? UN PAR UN OU LES TROIS ENSEMBLE?

C'EST MOI QUI M'OCCUPE DU BOUT D'CHOU !

D'ABORD LE BON !
TOCK !

TROP JEUNE, TROP IMPULSIF, TROP INEXPÉRIMENTÉ !
ZONK

ENSUITE, LA BRUTE...
AÏE, AÏE, AÏE...
TICK !!
TROP LENT, TROP MALADROIT...

ET, TROP LÂCHE !
PRÉVENEZ-MOI QUAND VOUS AUREZ RÉGLÉ VOS DIFFÉRENDS !

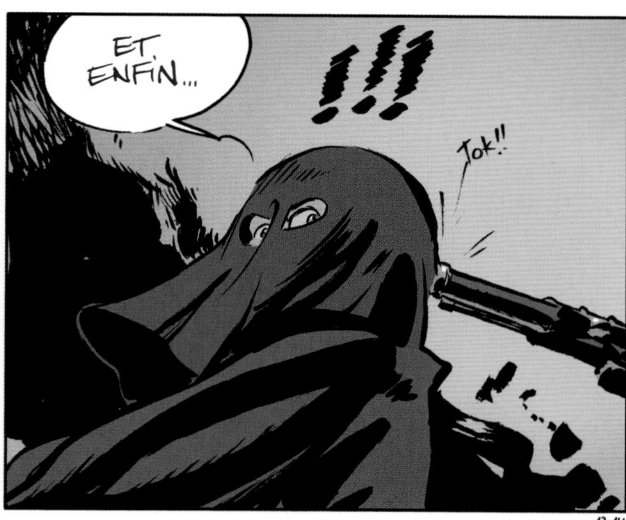
ET, ENFIN...
!!!
TOK !!

LE TRUAND.
TROP INTELLIGENT POUR SE RISQUER À ATTAQUER DE FACE.

L'HEURE EST VENUE D'EN AVOIR LE CŒUR NET. QU'EST-CE QUI SE CACHE SOUS CE MASQUE ? HOMME OU DÉMON ?

'13/14.
COULEURS : SEDYAS.